# 2011 : LE TSUNAMI AU JAPON

# SURVIVANTS

# SURVIVANTS

## 2011 : LE TSUNAMI AU JAPON

Lauren Tarshis

Illustrations de Scott Dawson

Texte français de Martine Faubert

Éditions
■SCHOLASTIC

Catalogage avant publication de Bibliothèque et Archives Canada

Tarshis, Lauren
[I survived the Japanese Tsunami, 2011. Français]
2011, le tsunami au Japon / Lauren Tarshis ; illustrations de Scott
Dawson ; texte français de Martine Faubert.

(Survivants)
Traduction de : I survived the Japanese Tsunami, 2011.
ISBN 978-1-4431-4313-4 (couverture souple)

I. Dawson, Scott, illustrateur  II. Titre.  III. Titre: Deux mille onze,
le tsunami au Japon.  IV. Titre: Tsunami au Japon.  V. Titre: I survived
the Japanese Tsunami, 2011.  Français.

PZ23.T369A18 2016                    j813'.6                    C2015-906601-8

Édition publiée par les Éditions Scholastic, 604, rue King Ouest,
Toronto (Ontario)  M5V 1E1.

5 4 3 2 1     Imprimé au Canada   139     16 17 18 19 20

Illustration de la page de couverture : Steve Stone
Conception graphique de la couverture : Yaffa Jaskoll
Conception graphique du livre : Tim Hall

RECYCLÉ
Papier fait à partir
de matériaux recyclés
FSC® C103567

À YUKI, JOSH, AKI ET MAYA BOFINGER

# CHAPITRE 1

11 MARS 2011

14 H 46

SHOGAHAMA, JAPON

Au début, ce n'est pas une très grosse vague.

Juste une petite ride dans l'immense océan Pacifique.

Mais elle avance très vite, plus vite qu'un avion à réaction.

Plus elle s'approche des côtes du Japon, plus sa

1

taille augmente. La vague grossit jusqu'à devenir un immense mur d'eau qui s'élève à des dizaines de mètres et s'étire sur des centaines de kilomètres. Elle détruit tout sur son passage!

La vague s'abat sur des villes densément peuplées. Elle renverse les grands immeubles, engloutit les usines et rompt les routes et les ponts. Elle rase les jolis villages, fauche les forêts et transforme les rizières en mer de boue et de débris. Dans les petits ports de pêche paisibles, les bateaux dégringolent comme des dés dans les rues et viennent s'écraser contre les boutiques et les maisons.

Ben Kudo se tient debout dans une rue du petit village de Shogahama quand il remarque la vague qui approche. Au début, le garçon de onze ans a l'impression qu'un nuage de fumée s'élève de la surface de l'océan.

Un incendie ferait-il rage à bord d'un navire?

Une sirène d'alarme retentit.

Des gens crient de terreur.

Ben ne parle pas le japonais, mais il reconnaît un mot dans le brouhaha.

*Tsunami!*

L'instant d'après, le gigantesque mur d'eau noire coiffé d'écume blanche s'abat sur la côte.

Ben et sa famille pensent pouvoir échapper au raz de marée en auto, mais la vague les rejoint. Et tout à coup, Ben se retrouve seul. Il est emporté par la vague et n'arrive pas à refaire surface. Il est secoué par les remous, comme un oiseau pris dans une tornade.

Il est complètement terrorisé.

Il va se noyer!

Il se débat de toutes ses forces, mais reste prisonnier de la vague. Il a l'impression d'être coincé dans la mâchoire d'une bête féroce.

Il n'arrivera pas à lui échapper!

# CHAPITRE 2

Les deux équipes sont à égalité et la partie se termine dans dix secondes. Ben attrape le ballon et traverse le terrain en driblant. Il se faufile entre des joueurs trois fois plus grands que lui. La foule est en liesse. Comme d'habitude, la voix de son père domine les autres.

— *Tu vas y arriver, Ben!*

Les secondes s'écoulent sur l'horloge : *4, 3, 2…*

Ben lance le ballon.

Le ballon vole vers le panier et reste suspendu dans les airs…

Ben ouvre brusquement les yeux.

Il s'assoit dans son lit. Il est couvert de sueur et il halète. Au bout de quelques secondes, il se souvient qu'il n'est pas chez lui, en Californie, mais chez son oncle dans le village de Shogahama au Japon.

Nico, son petit frère de cinq ans, dormait à côté de lui. Maintenant, il est réveillé lui aussi.

— Tu as fait un cauchemar? demande-t-il en posant sa petite main contre le dos moite de Ben.

Ben repousse la main de Nico.

— Non, pas vraiment, répond-il en tentant de maîtriser sa voix.

Il ne veut pas laisser Nico voir sa tristesse ou sa peur.

Et puis quand il rêve de son père, ce n'est jamais un cauchemar.

C'est le réveil qui est toujours difficile : se rappeler à chaque fois que son père est mort.

C'est arrivé il y a quatre mois dans un accident de voiture en Californie, près de la base militaire où sa famille habite. Son père était pilote de chasse dans les forces aériennes américaines. Il avait participé à de dangereuses missions partout dans le monde. Et il est mort sur une route de Californie alors qu'il rentrait chez lui avec une boîte de beignets pour Ben et Nico.

Quelques mois avant l'accident, il leur avait annoncé une grande nouvelle : ils allaient faire un voyage en famille au Japon et se rendre à Shogahama, le village de pêcheurs où il avait vécu jusqu'à l'âge de dix ans. Ils partiraient au mois de mars, pendant les vacances scolaires de Ben, et resteraient chez l'oncle de son père, Tomeo. Ils l'appelaient *Ojisan*, qui signifie oncle en japonais.

Ben rêvait depuis toujours d'aller à Shogahama. *Ojisan* était comme un grand-père pour lui, plutôt qu'un oncle qui vivait très loin. Il était venu leur rendre visite plusieurs fois en Californie. Ben l'avait écouté raconter des anecdotes sur l'enfance de son père au village. Il avait follement hâte de voir l'endroit de ses propres yeux.

Mais pas sans son père!

Il n'en croyait pas ses oreilles quand sa mère leur avait annoncé qu'ils feraient quand même le voyage. Il l'avait suppliée d'annuler, mais elle ne voulait rien entendre.

— Ne te laisse pas berner par son petit sourire, lui répétait souvent son père.

Sa mère aussi avait été dans les forces aériennes avant sa naissance.

— Elle est encore plus déterminée que nous tous, disait-il souvent avec fierté.

Sa mère voulait aller à Shogahama et ils y sont maintenant.

Nico sort du lit. Son petit corps maigrichon flotte dans son pyjama de Dark Vador. Nya, la chatte d'Ojisan, dort au pied du lit. Nico la prend dans ses bras. Elle doit bien avoir cent ans et il lui manque des poils par endroits. Elle est petite et maigre, et sa queue tordue a la forme d'un Z. Au lieu de miauler, elle pousse des cris qui écorchent les oreilles de Ben.

*Hiii! Hiii!*

Ben aurait aimé que Nico ignore la chatte pour que celle-ci les laisse en paix. Mais Nico a décidé que Nya était une chatte Jedi et qu'elle devait être l'assistante personnelle de Dark Vador. Apparemment, ça ne dérange pas la vieille chatte d'être traînée dans toute la maison par Nico qui joue à la Guerre des étoiles et pourchasse des ennemis invisibles avec son sabre laser.

Nico frotte sa joue contre la tête de Nya et regarde Ben intensément.

— Vas-tu m'aider à grimper dans l'arbre après le déjeuner? demande-t-il à Ben. Je veux faire mon vœu.

*Pas ça encore!* se dit Ben.

Leur père leur avait raconté qu'à Shogahama, les cerisiers étaient des arbres magiques. Si on grimpait jusqu'à leur cime, on pouvait faire un vœu, disait-il.

Ben sait que c'est une fable. Mais Nico y croit dur comme fer. Depuis le début de la semaine, il observe le cerisier qui est planté devant la maison d'Ojisan. Il espère que la pluie va enfin cesser de tomber et qu'il pourra y grimper. Maintenant que le ciel est enfin bleu, Nico est prêt.

— Tu sais ce que je vais souhaiter? dit Nico en se rapprochant de Ben, ses yeux noisette brillant intensément. Je vais faire le vœu que papa revienne auprès de nous.

Ben a la gorge serrée.

— Nico, rétorque-t-il d'un ton cassant, tu sais bien que papa est mort et que tu ne peux pas le faire revenir.

— Tu verras! réplique Nico, les larmes aux yeux.

Il tourne les talons et sort de la chambre en serrant Nya dans ses bras.

Ben se met à pleurer à son tour.

Il se lève et essuie ses larmes en tentant de se reprendre.

Il doit rester fort, comme son père!

Lors de la dernière campagne en Afghanistan de son père, alors que Ben n'était qu'un bébé, le réacteur du F-16 qu'il pilotait avait explosé et il avait dû s'éjecter de l'avion en territoire ennemi. Il s'était brisé la cheville en atterrissant en parachute. Malgré tout, il avait réussi à se réfugier dans les montagnes avant que les avions de chasse ennemis ne le retrouvent. Pendant six jours, il s'était caché dans une caverne. Il avait finalement été secouru par des soldats américains qui étaient venus le chercher à bord d'un hélicoptère.

Ben imagine son père debout dans l'obscurité, bien déterminé à ne pas pleurer ni à s'apitoyer sur son sort.

*Je dois être comme mon père!* se dit-il.

Il part à la recherche de Nico. *Il n'y a pas de mal à le laisser grimper dans l'arbre,* se dit-il.

Il se dirige vers la cuisine et entend Nico crier.

Il se précipite dehors et découvre son petit frère étendu par terre au pied du cerisier.

Il est couvert de sang!

# CHAPITRE 3

Ben se tient entre sa mère et Ojisan tandis que le docteur Sato examine Nico. Ben a encore l'estomac noué après avoir vu son frère gisant par terre. Nico a le nez en sang et une grosse entaille au bras.

Heureusement, il n'est pas aussi mal en point qu'il en a l'air. Sa chute a été ralentie par les branches et la terre au pied de l'arbre avait été ameublie par la pluie incessante. Le docteur l'examine de la tête aux pieds.

Quand il a terminé, il pose la main sur les

cheveux de Nico.

— On dirait que tu es fait en caoutchouc, mon garçon, dit le docteur dans un anglais parfait. As-tu rebondi comme une balle en tombant par terre?

— Je crois que oui! s'exclame Nico.

Tout le monde rit, même Ben. La voix enjouée de son frère le surprend. Il ne l'a pas entendue depuis si longtemps!

— Je vais soigner ton bras, dit le docteur Sato. Juste quelques points de suture.

*Aïe!*

— Nooon! crie Nico.

Si on montrait un cobra à Nico, il rirait et tendrait la main pour le caresser. Mais à la vue d'une toute petite aiguille, il panique.

*Le docteur Sato ne va pas pouvoir l'approcher, c'est sûr et certain,* se dit Ben.

Mais le docteur Sato est très perspicace.

— Madame Kudo, dit-il d'une voix assez forte pour couvrir les cris de Nico, est-il vrai que Dark Vador a une cicatrice au bras?

Nico arrête de pleurer.

— Oui, tout à fait, répond-elle sans sourciller. N'est-ce pas, Ben?

—Bien sûr! dit Ben en réprimant un sourire. Il a été blessé par un sabre laser au cours d'un combat.

Tout le monde se tourne vers Nico qui reprend son souffle en hoquetant.

— Je peux avoir une cicatrice? demande-t-il d'une petite voix.

— À condition de rester assis sans bouger pendant que je fais les points, dit le docteur Sato.

Nico lui tend son bras.

— Je suis prêt! annonce-t-il en reniflant bravement.

Trois quarts d'heure plus tard, Nico admire ses points de suture comme si c'était le plus beau des cadeaux d'anniversaire. Toute la famille salue le docteur Sato avant de repartir.

Nico, Ben et leur mère s'entassent dans la petite voiture d'Ojisan et retournent à Shogahama. La route à flanc de montagne est étroite et tortueuse. Plus bas, les vagues du Pacifique déferlent sur les rochers. Sur le versant, des paysans cultivent le riz dans leurs champs en terrasse qui s'élèvent jusqu'au sommet.

— Papa avait raison, dit Mme Kudo. C'est le plus beau pays du monde.

— Vous devriez rester plus longtemps, dit Ojisan.

— Oui, oui! s'écrie Nico.

Ben n'en a pas envie. Il est très content à l'idée de rentrer dans deux jours.

Il est heureux d'avoir retrouvé Ojisan. Mais

depuis qu'il est au Japon, sa carapace se fissure. Toutes les nuits, il rêve de son père et le jour, il pense à lui sans arrêt.

Chez lui, Ben arrivait à se changer les idées.

Ce n'était pas facile. Il avait renoncé au basketball et avait même quitté l'équipe de compétition malgré tous les efforts qu'il avait faits pour se qualifier. Ben et son père jouaient souvent au basketball ensemble. Mais depuis l'accident, Ben avait l'impression de recevoir un coup en plein cœur chaque fois qu'il entendait un ballon rebondir.

Il avait fait le ménage dans sa chambre et avait fait disparaître toutes les photos de son père. Il avait même arraché l'affiche du F-16 qui trônait au-dessus de son lit. Quand sa mère venait frapper à sa porte, il disait qu'il faisait ses devoirs. Et quand Nico voulait jouer avec lui, il lui disait de s'en aller.

Sa chambre était devenue un endroit sombre comme la caverne où son père s'était caché après l'écrasement de son avion en Afghanistan.

Il s'y sentait souvent seul, c'est sûr, mais au

moins, quand il était dans sa caverne, il se sentait
en sécurité.

# CHAPITRE 4

**14 H 40**

Nico est fatigué après sa visite à l'hôpital. Sa mère l'aide à retirer son pyjama taché de sang, puis le met au lit. Une minute plus tard, il dort avec Nya qui s'est blottie contre lui.

Ben est dans la cuisine et se sert un verre de jus quand Ojisan entre.

— Que dirais-tu d'une promenade? demande-t-il gentiment.

— Non merci, Ojisan, répond Ben, même s'il se

sent un peu coupable. Je suis fatigué moi aussi.

Depuis qu'ils sont arrivés, Ojisan l'invite souvent à venir visiter les environs. Chaque jour, Ben invente une nouvelle excuse. Il ne veut pas voir la forêt où son père allait jouer à cache-cache ni le petit port où il avait appris à pêcher. Il ne veut pas entendre Ojisan lui parler de son père.

Il se sauve de la cuisine en évitant de croiser le regard d'Ojisan.

Quand il entre dans la chambre, Nico se redresse dans son lit.

Il a l'air de rêver. Ben se demande s'il est vraiment réveillé.

— Tu sais, j'ai réussi, dit Nico d'une petite voix.

— Réussi quoi? demande Ben en s'asseyant au bord du lit.

— À grimper dans le cerisier, répond Nico. Avant de tomber, j'ai fait mon vœu. Ben j'ai fait mon vœu!

Nico regarde son frère avec intensité.

Ben ouvre la bouche pour répondre, mais Nya se lève brusquement et, le poil hérissé, elle émet un long miaulement. Puis elle se met à pousser le bras de Nico avec sa tête. On dirait qu'elle veut le faire tomber du lit.

Est-elle devenue complètement cinglée?

Ils entendent un bruit bizarre, une sorte de grondement sourd.

Le verre d'eau posé sur la commode se met à trembler.

Ben pense tout d'abord que des avions supersoniques passent au-dessus du village, comme quand un escadron rentre à la base, chez eux, en Californie.

Mais le grondement s'amplifie et le lit se met à trembler.

— Ben! crie Nico. Qu'est-ce qui se passe?

Ben a peur.

Ojisan hurle depuis l'autre bout de la maison.

— Ben! Nico! *Dishin! Dishin!*

Ben n'a pas besoin de parler japonais pour comprendre ce qu'Ojisan est en train de dire.

*Un tremblement de terre!*

La secousse est de plus en plus forte. Ben et Nico se mettent à rebondir sur le lit.

Ben tient Nico de toutes ses forces pour ne pas qu'ils tombent par terre.

Il a aussi peur que s'il descendait des rapides en radeau pneumatique.

*Bang!*

La commode tombe à la renverse.

*Crac!*

La lampe s'écrase par terre et l'ampoule explose bruyamment.

*HIIII!* fait Nya.

Un bruit effrayant couvre tous les autres, une sorte de roulement de tonnerre, comme si la Terre criait toute sa colère, un bruit qui brise les tympans de Ben et qui lui martèle le crâne.

— Ça suffit! hurle Nico.

Mais crier ne sert à rien. Ben ne savait pas qu'un tremblement de terre pouvait durer si longtemps. En Californie, il y en a souvent, mais ils ne durent jamais plus de quelques secondes. Et ils ne sont jamais aussi violents! Ben se rappelle qu'il se produit plus de tremblements de terre au Japon que partout ailleurs dans le monde. Ils sont même plus fréquents qu'en Californie. En sciences, il a appris qu'un séisme a détruit Tokyo en 1920 et un autre a frappé la ville de Kobé dans les années 1990.

Comment avait-il pu l'oublier?

Il a aussi appris que les Japonais construisent des gratte-ciels qui peuvent résister à de fortes secousses, car ils peuvent se balancer légèrement comme le blé dans le vent.

Mais ici, tous les bâtiments sont vieux. La maison d'Ojisan est faite de bois et de plâtre et, comme toutes les autres maisons du village, le toit est recouvert de tuiles d'argile rouge.

Résistera-t-elle à ce tremblement de terre?

Un gros *BOUM* couvre tous les autres bruits.

— Ben, regarde! crie Nico en indiquant le plafond.

Il est traversé par une grande fissure qui ne cesse

de s'agrandir.

Le plafond va s'effondrer d'une seconde à l'autre.

Il faut qu'ils sortent de là au plus vite!

# CHAPITRE 5

Ben attrape Nico par le bras. Il rampe jusqu'à la porte en le tirant derrière lui. Il pousse sur la porte, mais elle est coincée par le plancher qui s'est brisé.

Ils sont prisonniers!

Ben commence à paniquer. Il faut qu'ils sortent de là! Mais comment? Son sang se glace dans ses veines. Son cœur bat très fort et les idées tourbillonnent tellement vite dans sa tête qu'il est incapable de réfléchir.

Est-ce que son père avait ressenti la même chose

en voyant que son F-16 allait s'écraser ?

Peu avant sa mort, son père lui avait raconté son écrasement. Ils étaient au terrain de basketball, en face de chez eux. Normalement, son père ne parlait pas de ses expériences à la guerre. Mais le bruit rythmé des rebonds du ballon avait fini par le détendre et il s'était mis à parler.

Il avait raconté à Ben ce qui s'était passé quand le réacteur de son appareil avait explosé. Les voyants lumineux du tableau de bord clignotaient comme un jeu vidéo détraqué. À ce moment-là, il volait à 7 500 mètres d'altitude et à une vitesse de 800 kilomètres à l'heure. L'avion pouvait s'enflammer à tout moment. La seule chance de s'en sortir était de s'éjecter. Il suffisait de tirer sur la grosse manette jaune pour être expulsé de l'avion et projeté dans l'immensité du ciel.

La verrière du cockpit, faite de plastique transparent, était automatiquement projetée dans les airs quand on tirait sur la manette d'éjection. Une petite charge explosive placée sous le siège propulsait le pilote et son siège dans les airs. Ensuite, deux parachutes se déployaient, le premier pour remettre le pilote en position verticale et le second pour ralentir sa chute jusqu'au sol.

Et si la verrière ne s'était pas ouverte et que son père s'était écrasé la tête contre la paroi de plastique? Et si les parachutes avaient mal fonctionné et qu'il était tombé comme une pierre avant de s'écraser au sol? Son père avait entendu des histoires d'éjections qui avaient mal tourné. De nombreux pilotes étaient morts ou avaient été si gravement blessés qu'ils avaient perdu l'usage de leurs jambes.

Ces pensées étaient terrifiantes. Mais son père avait été entraîné pour affronter ce genre de situations extrêmement dangereuses, comme voler sous les tirs ennemis, atterrir sur un porte-avions en pleine tempête ou manœuvrer pour éviter un missile qui l'aurait pris pour cible.

— La peur est toujours présente, lui avait dit son père en driblant sur la ligne des lancers francs. Mais on ne peut pas la laisser nous dominer.

Il avait visé le panier et lancé le ballon.

— Tu dois choisir entre la vie ou la mort, avait-il dit. Si tu paniques, tu es cuit.

*Swish!*

Ben se rappelle aussi ce que son père lui avait dit ensuite.

— À l'entraînement, tu apprends qu'il faut fermer les yeux, avait-il dit. Tu inspires profondément, encore et encore. De cette façon, tu arrives à reprendre tes esprits et tu peux agir intelligemment.

Ben ferme les yeux. Il a du mal à remplir ses poumons à cause de sa poitrine qui est comprimée. Il se répète les mots de son père : *inspire profondément, encore et encore.*

Il finit par se calmer. Ses muscles se détendent.

Sans réfléchir plus longtemps, il attrape Nico par le bras.

Il l'entraîne jusqu'au lit dont le support de métal est bien solide.

Il pousse Nico sous le lit, puis s'y glisse à son tour.

— Attends! crie Nico. Nya!

La chatte est au beau milieu de la chambre, pétrifiée par la peur.

Nico rampe pour aller la chercher, mais Ben le rattrape par la cheville et le ramène sous le lit.

— Va la chercher! hurle Nico.

Ben se glisse hors de leur abri et rampe jusqu'à Nya. Il la saisit par la queue. Elle miaule et le griffe. Il la ramène près du lit et Nico réussit à l'attraper.

Ben se glisse sous le lit au moment où la chambre semble exploser.

Le toit vient de s'effondrer.

# CHAPITRE 6

Finalement, la Terre cesse de trembler.

Ils sont plongés dans l'obscurité. Le silence n'est perturbé que par les sanglots de Nico.

— Ben? dit Nico d'une toute petite voix.

— Tout va bien, répond Ben.

Et c'est presque vrai. Une fois la poussière retombée, Ben peut voir les débris qui jonchent le plancher : les tuiles rouges du toit, les morceaux de bois de la charpente et le plâtre du plafond. Le lit les a protégés.

Ben sent la panique l'envahir à nouveau. Un frisson lui parcourt l'échine et mille questions lui font tourner la tête.

Où sont sa mère et Ojisan?

Dans quel état est le reste de la maison?

Nico et lui ont survécu à la secousse. Mais leur mère et Ojisan ont-ils pu se mettre à l'abri? Et si la Terre se remettait à trembler? Et si...

Il ferme les yeux et inspire profondément, une fois, deux fois. Ses idées s'éclaircissent. Il se rappelle que sa mère a reçu une formation des forces aériennes, tout comme son père. Elle sait quoi faire en cas de danger. Et Ojisan a construit lui-même sa maison. Il sait donc où se mettre à l'abri.

Nico vient se blottir contre lui. Il pleure à gros sanglots.

— J'ai peur, grommelle-t-il.

Ben lui tapote le dos et essaie de le rassurer. Mais Nico se met à hurler encore plus fort que quand le docteur Sato lui a dit qu'il devait le recoudre. Ben doit trouver autre chose pour le rassurer.

— Les chevaliers Jedi doivent être forts, dit-il. Maintenant que tu as une cicatrice, tu dois être courageux.

Ça semble fonctionner.

Nico renifle un bon coup et s'essuie le nez dans sa manche.

Il serre Nya contre lui.

— Il faut qu'on soit courageux, Nya, murmure-t-il à l'oreille de la vieille chatte.

Ils entendent des bruits de pas. Puis quelqu'un les appelle :

— Ben! Nico!

— Maman! hurle Nico.

— Les garçons, êtes-vous blessés? demande-t-elle à travers un mur de poussière d'une voix haute et claire.

— On va bien, crie Ben d'une voix qui se veut courageuse. On est sous le lit.

— Ne bougez pas de là! leur ordonne Ojisan.

Leur oncle aussi est sain et sauf!

Leur mère et Ojisan prennent une éternité pour

se frayer un passage à travers les décombres. Quand ils arrivent enfin dans la chambre, Mme Kudo se met à quatre pattes pour voir Ben et Nico. Son visage est recouvert de poussière et de sueur, mais dans ses yeux, on peut lire son soulagement.

— Vous pouvez sortir de là-dessous maintenant, leur dit-elle.

Ben pousse Nico dans les bras de sa mère et sort à son tour de leur abri.

Elle les enlace tous les deux. Ces derniers temps,

Ben refusait ses câlins. Mais aujourd'hui, entendre les battements de son cœur le réconforte. Nya apparaît à son tour et vient se blottir contre les jambes de Nico.

— Très bonne idée de se cacher sous le lit, dit Mme Kudo en relâchant son étreinte pour pouvoir les regarder tous les deux.

— C'est Ben qui a eu cette idée, dit Nico.

Mme Kudo regarde Ben. Elle tend le bras et lui caresse la joue. Ben ne peut s'empêcher de rougir de fierté.

Mais l'heure n'est pas aux bavardages. Mme Kudo trouve les chaussures de Nico et l'aide à les mettre.

— Allons-y! dit Ojisan en attrapant Nya et en la tendant à Nico. Il faut sortir d'ici. Ce tremblement de terre était très violent. C'est le plus puissant que j'aie vu de toute ma vie. Il y aura d'autres secousses. Nous ne sommes pas en sécurité dans la maison.

On dirait que la Terre a entendu Ojisan, car elle se remet à trembler et un autre morceau du plafond s'effondre.

Ils s'empressent de sortir de la maison en enjambant les meubles renversés, les livres éparpillés et les éclats de verre. Le reste de la maison tient encore debout, mais elle pourrait s'écrouler à tout moment. Ben se sent soulagé d'être à l'extérieur. Ils traversent le jardin jusqu'à la rue. De grands arbres sont tombés, mais le cerisier d'Ojisan est toujours debout.

— Attendez-moi ici, dit Ojisan.

Il va rejoindre des voisins qui se sont rassemblés au milieu de la rue. Trois maisons du quartier sont en ruine. Mais tout le monde semble sain et sauf.

Mme Kudo, Ben et Nico se serrent les uns contre les autres pour se réchauffer. Nico tient Nya dans ses bras.

— Le pire est passé, dit Mme Kudo.

*Oui,* se dit Ben. *Il n'y a rien de pire qu'un tremblement de terre.*

Ben remarque alors qu'Ojisan s'est avancé jusqu'au bout de la rue avec deux autres voisins. Ils scrutent la surface de l'océan à l'horizon.

Ben suit leurs regards et aperçoit ce qu'ils

observent : un étrange nuage gris à la surface de l'eau.

On dirait de la fumée.

Un incendie aurait-il éclaté sur un navire?

Non, c'est impossible, le nuage est trop gros.

Une sirène d'alarme retentit.

Ben comprend aussitôt qu'il ne s'agit pas d'un nuage.

Ni d'un incendie.

C'est une vague. Une vague gigantesque! Elle est plus haute qu'un immeuble et si longue qu'on n'en voit pas la fin. On dirait que c'est tout l'océan qui va déferler.

Ojisan hurle :

— *Tsunami!*

# CHAPITRE 7

Il n'y a pas une minute à perdre.

— Dans la voiture! crie Ojisan.

Mme Kudo prend Nico dans ses bras. Ils se mettent tous à courir et montent dans la voiture. Mme Kudo s'assoit sur le siège du passager et prend Nico sur ses genoux. Ben grimpe à l'arrière.

Ojisan démarre avant même que Ben ait refermé la portière. La voiture part sur les chapeaux de roue.

Pourquoi Ojisan panique-t-il autant? Pourquoi

les gens courent-ils? Ils ne sont même pas au bord de l'eau. Il faut bien marcher cinq minutes pour s'y rendre. Ben n'a jamais entendu parler d'une vague qui se soit rendue si loin à l'intérieur des terres.

Ojisan ne veut probablement prendre aucun risque.

La route est toute crevassée à cause du tremblement de terre. Ojisan doit zigzaguer pour éviter les trous. Ben se fait secouer d'un bout à l'autre de la banquette arrière avant de réussir enfin à boucler sa ceinture de sécurité.

— Qu'est-ce qui se passe? demande Nico.

Il serre Nya si fort dans ses bras que Ben a peur qu'il l'étouffe.

— Nous nous éloignons le plus possible de l'océan, dit Mme Kudo d'une voix calme et posée.

Soudain, ils entendent un bruit bizarre, un grondement encore plus fort que celui du séisme, comme si des avions à réaction atterrissaient juste derrière la voiture.

Ben se retourne et reste bouche bée.

Un mur d'eau et d'écume remonte la rue!

Et ce n'est pas que de l'eau. La vague emporte des débris de maisons, une voiture écrasée, un grand arbre déraciné et mille éclats de bois et de métal. Elle engloutit tout sur son passage. Deux hommes courent sur le trottoir. Ben, le souffle coupé, les voit disparaître dans la vague.

Elle va bientôt atteindre leur voiture.

Ojisan écrase l'accélérateur. Le moteur gémit et la voiture fonce à toute allure.

Mme Kudo se retourne, prend la main de Ben et la serre très fort. Ils se regardent droit dans les yeux. Ben ne reconnait pas l'expression qu'il voit sur le visage de sa mère. Il ne l'a jamais vue comme ça, pas même dans les jours qui ont suivi la mort de son père.

*Maman a peur!* se dit Ben.

Puis ils sont soudainement entourés d'eau et d'écume. Les flots noirs sont agités et se soulèvent en dangereuses vagues.

Les pneus sont maintenant immergés et la voiture se met à tourbillonner.

Le temps semble s'être arrêté.

La voiture se renverse brusquement dans l'eau qui ne cesse de monter. La ceinture de sécurité de Ben le maintient immobile, mais à l'avant, Mme Kudo et Nico sont projetés du côté d'Ojisan et tous les trois s'écrasent contre la portière du conducteur.

La porte s'ouvre et Ojisan tombe.

— Ojisan! crie Ben.

Mme Kudo et Nico sont sur le point de tomber, eux aussi! Ils ont déjà passé le cadre de la portière. Mme Kudo agrippe le volant d'une main, sans lâcher Nico qu'elle serre contre elle de son autre bras. Nico serre toujours Nya de toutes ses forces.

Ben veut se lever pour aller aider sa mère, mais sa ceinture de sécurité l'en empêche.

— Maman! crie-t-il. Tiens Bon!

— Je fais tout ce que je peux! répond-elle.

Ben essaie tant bien que mal de déboucler sa ceinture. Il y parvient enfin! Au moment où il va attraper le bras de sa mère, la voiture bascule davantage et se retourne presque sur le toit. Sa mère, Nico et Nya sont projetés à l'extérieur.

Ben, désespéré, les regarde s'éloigner, emportés par le courant.

Il essaie de passer à l'avant de la voiture pour pouvoir en sortir et aller les rejoindre.

Mais l'eau monte rapidement et la voiture est secouée dans tous les sens. La portière se referme brusquement. Les vagues s'abattent sur le toit. L'eau glaciale s'engouffre à l'intérieur, tout autour de Ben. Au bout de quelques secondes, il a de l'eau jusqu'à la poitrine. Il essaie d'ouvrir la portière, mais elle ne bouge pas.

Il a de l'eau jusqu'au menton désormais.

Il est piégé!

# CHAPITRE 8

La voiture tourbillonne, se retourne et s'enfonce toujours plus profondément. L'obscurité est totale et Ben est si étourdi qu'il ne distingue plus le haut du bas.

Il se sent comme enfermé dans une boîte remplie d'eau ou plutôt… comme dans un avion de combat qui se serait écrasé en mer.

Il se rappelle ce que son père lui a raconté à propos de l'entraînement des pilotes de chasse. Il faut des années pour devenir un bon pilote de F-16 et l'entraînement n'est jamais réellement fini. Il y a toujours de nouvelles formations à suivre et toutes sortes d'exercices à répéter régulièrement. Les pires sont les exercices de survie en mer, selon lui.

Tous les pilotes de chasse apprennent à survivre à un écrasement en mer. Un avion tombé à l'eau se remplit en quelques secondes et coule rapidement. Même le meilleur des pilotes se retrouve complètement désorienté une fois la tête sous l'eau, tout comme Ben en ce moment.

L'armée de l'air impose donc à ses pilotes des exercices de survie. Deux fois par année, son père se rendait dans un centre d'entraînement spécial. Là, il s'installait les yeux bandés dans un simulateur de vol. Il était sanglé dans un faux poste de pilotage qui était ensuite renversé. Puis, plongé dans un bassin rempli d'eau glaciale, il devait alors déboucler sa ceinture, trouver un moyen de sortir et nager jusqu'à la surface, le tout en retenant son souffle. Les premières années, il ne réussissait pas toujours. Un plongeur devait parfois aller le chercher et le ramener à la surface.

Mais aujourd'hui, aucun plongeur ne viendra secourir Ben.

Il doit y arriver seul, sinon il va se noyer.

Il ferme les yeux et se rappelle ce que son père lui a appris sur la façon de sortir d'un avion qui a sombré. Il faut se servir de ses mains à la place de ses yeux et se déplacer à tâtons pour trouver un moyen de sortir. Les portes ne peuvent pas s'ouvrir à cause de la pression exercée par l'eau. La seule solution est de trouver une brèche dans la carlingue ou de briser un hublot.

Ben a de l'eau jusqu'aux narines. Il pointe le menton vers le haut et inspire profondément. Ce sera sa dernière bouffée d'air avant d'atteindre la surface. Il inspecte l'intérieur de la voiture à tâtons. Il essaie de reconnaître ce qu'il touche : la banquette, le plafond, une vitre. Il trouve le bouton d'ouverture. Il appuie, mais rien ne se produit. Le circuit électrique ne fonctionne pas sous l'eau.

Il ne lui reste plus que quelques secondes pour sortir de là. Il a l'impression que ses poumons vont exploser. Il se sent faible. Il continue d'avancer à tâtons et trouve le volant. La voiture d'Ojisan est petite. Il réussit quand même à se recroqueviller et à se retourner. Puis de toutes ses forces, il donne un coup de pied dans la glace du côté du passager.

*Bang!*

La vitre reste intacte.

Il recommence, encore et encore.

*Bang! Bang! Bang!*

*CRAC!*

Son dernier coup de pied déloge la vitre de son cadre.

Il se retourne et se faufile dans l'ouverture en luttant contre la pression de l'eau qui s'engouffre dans l'habitacle. Avec ses deux pieds, il prend appui sur la voiture et s'élance vers la surface.

Il a à peine le temps de reprendre une bouffée d'air qu'il est entraîné de nouveau sous l'eau.

Cette masse d'eau est comme une bête munie de longs bras qui le roue de coups et le tord dans tous les sens. Chaque fois qu'il réussit à remonter à la surface pour respirer, elle le rattrape et le ramène au fond.

Il est à bout de forces, il le sait. Il n'est pas de taille à lutter contre l'eau.

Du coin de l'œil, il aperçoit un gros objet qui flotte à quelques mètres de lui. Il n'a aucune idée de ce que c'est. *Peut-être une baleine*, se dit-il. Avec le peu d'énergie qu'il lui reste, il nage en direction de l'objet.

C'est un canapé!

Il réussit à se hisser dessus.

Il respire goulûment. L'air frais lui brûle les poumons.

Il a de cette eau dégoûtante plein la bouche et le nez. Il crache, tousse et se mouche sans parvenir à chasser l'horrible goût de substances chimiques. Il cligne des yeux. Il a l'impression qu'ils ont été brûlés.

Il reprend petit à petit une respiration normale. Sa vision s'éclaircit.

Il regarde autour de lui, incapable de croire que ce qu'il voit est réel.

L'eau s'étend à perte de vue… une espèce de soupe noire pleine d'éclisses de bois, d'éclats de verre, de morceaux de métal et d'autres débris agitée par des remous.

Ben bascule la tête vers l'arrière et se met à hurler :

— Maman! Ojisan! Nico!

L'écho de sa voix se répercute au loin, mais

personne ne répond.

Il n'y a personne en vue.

La vague les a tous emportés.

# CHAPITRE 9

Les minutes passent. Ben flotte sur son canapé, le visage enfoui dans ses bras. Le ciel qui était bleu ce matin est devenu d'un gris acier des plus sinistres. Les flots se sont calmés, les remous ont disparu. Ben flotte comme un naufragé au beau milieu de l'océan. Il n'a jamais eu si froid de toute sa vie.

Et il n'a jamais été si seul. Il se sent encore plus seul que durant les premières semaines après l'accident de son père, quand il s'était enfermé dans sa chambre. Il n'avait voulu parler à personne, pas même à Ojisan qui était resté pendant plusieurs semaines après les funérailles. Mais durant cette sombre période, il savait que sa mère n'était jamais loin. Il y avait aussi Nico qui venait frapper à sa porte, son entraîneur et ses amis qui passaient prendre de ses nouvelles. Ben les avait tous renvoyés. Maintenant, il comprend que leur présence avait été très importante, car il se savait soutenu.

Aujourd'hui, il aura beau attendre, personne ne viendra.

Un vent froid se lève. Ben frissonne. Il claque des dents si fort qu'il n'entend pas tout de suite un son aigu qui semble venir de tout près.

*Hiii! Hiii!*

Il relève la tête, convaincu que ses oreilles lui jouent des tours.

Mais le cri recommence.

*Hiii! Hiii!*

Il scrute la surface de l'eau couverte de toutes sortes d'objets flottants : une lampe, un journal, un gros ours en peluche, des bouteilles, des feuilles de papier, un ballon de soccer.

À trois mètres de lui, une petite chose portée par un matelas avance lentement sur l'eau. Ben pense d'abord que c'est une vieille peluche.

Puis il remarque la queue en forme de Z.

Et il entend de nouveau le cri.

*Hiii! Hiii!*

Nya!

Sans réfléchir, il se jette à l'eau.

Il nage de toutes ses forces en se frayant un passage à travers les débris.

Il s'accroche au bord du matelas.

— Nya! dit-il. C'est moi, Ben!

La chatte reste sans bouger, grelottant et le fixant de ses yeux d'un bleu laiteux.

— Tu ne me reconnais pas? dit-il.

*J'ai perdu la boule,* pense-t-il. *Comme si un chat pouvait me répondre!*

Nya ne semble vraiment pas le reconnaître.

Puis Ben voit comme un déclic dans les yeux de l'animal. Nya avance prudemment jusqu'au bord du matelas, approche son museau du visage de Ben, puis se met à ronronner.

Ben a les larmes aux yeux en sentant le museau de Nya sur son visage. Il est soulagé par la présence de cette vieille chatte efflanquée, comme si un hélicoptère rempli de soldats d'élite était venu le secourir.

Il se hisse sur le matelas et s'assoit en tailleur. Il prend Nya et la serre contre sa poitrine, comme Nico le faisait toujours.

C'est le premier moment de calme depuis le tremblement de terre.

Mais cette accalmie est de courte durée.

L'eau recommence à s'agiter. Le matelas est emporté à toute vitesse par les flots. Mais cette fois-ci, c'est en direction de l'océan.

Que se passe-t-il?

Ben se rappelle alors un voyage en famille au bord de la mer, l'été dernier. C'était une des plus belles fins de semaine de toute sa vie! Nico avait construit un gigantesque château de sable sur la plage avec sa mère. Son père et lui avaient fait du bodyboard dans les énormes vagues pendant des heures. Quand les vagues perdaient de leur force, l'eau retournait vers le large. Le courant était si puissant que son père devait le retenir, sinon il aurait été emporté.

C'est exactement ce qui se passe maintenant.

La gigantesque vague a perdu de sa force et elle retourne vers le large en emportant Ben et Nya.

Le matelas avance difficilement à cause de tous les débris qui flottent sur l'eau.

*Réfléchis!* se dit Ben. *Vite, sinon on va se retrouver en pleine mer!*

Droit devant, il aperçoit la cime d'un petit arbre qui dépasse de la surface de l'eau. C'est sa dernière chance. Il n'a qu'une seconde pour sauter du matelas et s'accrocher à l'arbre.

Il prend Nya et la pose sur sa nuque, comme une écharpe.

— Accroche-toi! lui dit-il.

Il se met à quatre pattes et rampe sur le matelas. Nya enfonce ses griffes dans ses épaules. Il ne bronche pas. Il garde les yeux rivés sur l'arbre et attend le bon moment.

Il fait le compte à rebours dans sa tête, comme sur l'horloge d'un terrain de basket.

*5, 4, 3, 2, 1…*

Il saute du matelas. Nya saute de son dos et s'agrippe à l'arbre. Ben tend les bras et essaie de s'accrocher. Mais il n'a pas une bonne prise et ses mains gelées glissent sur l'écorce détrempée.

Le courant va l'emporter!

# CHAPITRE 10

Ben a tout à coup l'impression d'être poignardé dans le dos.

*C'est peut-être un éclat de verre,* se dit-il.

Non, c'est Nya! Avec ses pattes avant, elle s'est agrippée à lui en gardant les griffes de ses pattes arrière enfoncées dans l'arbre. Elle essaie de le retenir!

Ses dix griffes crochues lui déchirent presque la peau. Ben serre les dents et s'accroche de toutes ses forces à l'arbre. Il ramène ses jambes et les croise autour du tronc. Centimètre par centimètre, il se hisse hors de l'eau.

Il a réussi!

Nya rétracte ses griffes et vient s'installer sur son épaule.

— Merci Nya! dit-il, la gorge serrée.

*Je parle encore au chat! Je dois être devenu fou,* se dit-il.

Il reste accroché à l'arbre tandis que l'eau retourne vers le large.

L'eau se retire à une vitesse étonnante, comme si on avait enlevé le bouchon d'une gigantesque baignoire. Par endroits, il devait y avoir plus de six mètres de profondeur et en quelques minutes, l'eau a disparu.

Il ne reste plus qu'un immense désert de boue noire et poisseuse, d'un demi-mètre de profondeur. L'odeur de pourriture est insoutenable et brûle les narines de Ben.

Ben et Nya descendent de l'arbre. Le garçon contemple les monceaux de débris tout autour de lui. La vague destructrice a laissé des tonnes de bois, de métal, de tuiles brisées et des morceaux de maisons et de bâtiments. Il y a aussi des objets personnels, comme des vêtements, des livres et des magazines, une poupée sans bras, une casquette de baseball écrasée et un ordinateur portable cassé.

Où sont passés les gens qui ont acheté ces choses, qui ont porté ces vêtements, qui ont tourné ces pages, qui ont joué avec cette poupée, qui ont consulté les résultats des matchs de basketball sur cet ordinateur?

Ben est-il l'unique survivant?

Il est submergé par un sentiment de tristesse et de solitude encore plus sombre que la vague.

Il ne s'est jamais senti si fatigué ni si gelé. Ses vêtements pleins de boue lui collent à la peau et il est transi jusqu'aux os. Il est couvert de coupures et d'égratignures.

Il est à bout de forces, vidé. Il a envie de se rouler en boule par terre, dans la boue. Oui, voilà ce qu'il devrait faire : fermer les yeux et tout oublier.

Soudain, l'image de son père se forme dans son esprit.

Il se rappelle alors le récit de sa dernière nuit dans la caverne, en Afghanistan.

— J'étais mal en point, avait raconté son père.

Il était gelé, affamé et à bout de forces. Sa cheville, enflée comme un melon, élançait. La caverne grouillait de rats et il avait à peine dormi. Il avait mangé des feuilles qui avaient fait enfler ses lèvres et lui brûlaient la gorge. Il n'avait pas une goutte d'eau. La batterie de sa radio était à plat. Il avait essayé de communiquer pendant toute la semaine et n'avait réussi à capter que des voix à peine audibles à cause du grésillement. Il ne savait pas à qui appartenait ces voix, ni si des secours avaient été envoyés à sa recherche.

— Ça se présentait mal, avait dit son père. Et même, très mal! Mais il y a une chose qu'on n'enseigne pas aux entraînements, c'est que tu dois écouter ton cœur. Que tu sois mort de peur ou totalement désespéré, il ne faut jamais perdre espoir.

Et son père n'avait pas perdu espoir.

Il avait tué un rat et l'avait fait griller pour

le manger. Il avait pensé à sa femme et à Ben, et aux moments de bonheur qu'il leur restait à vivre ensemble pour garder le moral. Il avait fait tourner ses bras pour assurer une bonne circulation sanguine jusque dans ses doigts.

Le matin du septième jour, il avait été réveillé par le vacarme d'un hélicoptère qui arrivait. Comme il était trop faible pour marcher, il avait rampé hors de la caverne.

Il était arrivé juste à temps pour voir l'appareil au-dessus de lui et pour lancer une fusée de détresse.

Juste à temps pour être sauvé!

Ben ferme les yeux et respire profondément jusqu'à ce qu'il se sente plus calme. Il scrute les débris dans l'espoir de trouver un objet utile, n'importe quoi. Il repère finalement une petite boîte de jus de fruits. Il nettoie le dessus, l'ouvre et en boit la moitié d'une seule gorgée. Puis il verse ce qui reste dans le creux de sa main toute sale et l'offre à Nya.

Il a encore soif, mais le jus lui a redonné un peu

d'énergie.

Il soulève Nya et la place devant son visage pour scruter ses yeux d'un bleu laiteux.

Pour la première fois, il se demande comment elle a fait pour survivre au tsunami, se hisser sur ce matelas et s'arranger pour qu'on la retrouve.

Nico a raison à propos de Nya : c'est un vrai chevalier Jedi.

— On va les retrouver, n'est-ce pas? lui dit Ben, se moquant de passer pour un fou parce qu'il parle à un chat.

*Hiii! Hiii!* fait Nya.

Il décide que ça veut dire oui.

Il installe Nya sur ses épaules.

Il tourne le dos à l'océan et se place face aux collines.

Et il se met à marcher.

# CHAPITRE 11

Ben est couché sur le plancher du gymnase, enroulé dans des couvertures. Nya dort, perchée sur son ventre, et ils grelottent tous les deux. Il n'y a pas d'électricité et les seules lumières proviennent de quelques lampes de poche. Ben distingue des silhouettes autour de lui. Il y a au moins cinquante personnes étendues sur des paillasses et des couvertures. Il y a des personnes âgées, plus vieilles qu'Ojisan, des jeunes gens, des mères avec leurs bébés et des hommes seuls. Certains parlent à voix basse et d'autres pleurent discrètement.

Ben et Nya ont longtemps erré au milieu des décombres. Puis hier soir, après des heures d'une longue et pénible marche, ils sont arrivés devant cette école située sur une colline. Ben espère qu'un jour il arrivera à oublier toutes les atrocités qu'il a vues, comme un bras émergeant d'un amas de débris ou un vieillard transportant sur son dos une femme apparemment sans vie. Il a aussi croisé un jeune homme assis, immobile devant une maison en ruine. Il était allé vérifier s'il avait besoin d'aide, mais l'inconnu était resté figé le regard fixe, sans battre des paupières, comme une statue. Ben s'était accroupi devant lui, mais l'homme avait refusé de parler et, même, de le regarder.

Il avait donc poursuivi son chemin et était finalement arrivé au bout de la zone détruite par la vague. Il avait alors aperçu l'école au sommet de la colline et ce dernier bout du trajet avait été le plus dur de la journée. Il avait si froid qu'il était tout engourdi. Ses pieds étaient devenus comme deux blocs de glace. L'an dernier à l'école, il avait appris ce qui arrive quand la température corporelle devient trop basse. Les muscles fonctionnent difficilement, les idées deviennent confuses, le cœur ralentit et le sang circule mal.

C'était probablement ce qui s'était passé, car il pouvait à peine marcher quand il était entré dans l'école. Il avançait d'un pas chancelant, l'air d'un fantôme frigorifié portant un chat tout aussi mal en point sur ses épaules.

Et il s'était écroulé par terre.

Il ne se souvient pas très bien de ce qui a suivi.

Des bras énergiques l'ont soulevé, on a murmuré à son oreille et on l'a enroulé dans une bonne couverture bien chaude. Des mains ont doucement essuyé la boue qui couvrait son visage. On a porté un verre d'eau à ses lèvres et il a bu. Il a sombré dans un sommeil pesant ponctué de très brefs réveils.

Puis plus rien jusqu'à ce qu'il se réveille, couché

par terre dans ce gymnase. Ses vêtements sales ont disparu et il porte un survêtement en coton ouaté. Nya est propre elle aussi, débarrassée du goudron qui engluait son poil. Ben a une main enroulée dans un bandage et des pansements sur les coupures et les égratignures de ses jambes.

Quelqu'un a pris soin de lui, mais il ne sait pas de qui il s'agit.

Il fait très froid dans l'école qui est privée d'électricité. Ben grelotte sous ses couvertures. Heureusement Nya, qui est pelotonnée sur son ventre, lui donne un petit supplément de chaleur.

Une mère et sa petite fille sont allongées à côté de lui. La mère dort, mais la fillette est réveillée et elle le regarde d'un air sérieux. *Elle doit avoir l'âge de Nico,* se dit Ben. Elle serre une poupée dans ses bras. Elle s'assoit, prend une bouteille d'eau et l'offre à Ben.

Il a horriblement soif. Il a encore sur la langue le goût métallique laissé par la vague.

Il esquisse un sourire et secoue la tête pour dire qu'il n'en veut pas.

Il ne voudrait pas la priver de son eau.

Elle réveille sa mère et lui chuchote quelque chose à l'oreille.

La dame s'assoit. Malgré la pénombre, Ben peut voir qu'elle est triste et inquiète. Il se demande où est le papa de la fillette.

La dame adresse un gentil sourire à Ben. Elle arrive même à prononcer quelques mots dans sa langue.

— S'il te plaît, dit-elle. Prends. Il faut boire.

Elle lui tend la bouteille d'eau. Puis elle plonge la main dans son sac et en ressort un sac de croustilles.

— S'il te plaît! insiste-t-elle

Il se dit qu'il devrait refuser, car la dame n'a même pas assez pour elle-même et sa fille. Mais il ne peut résister.

Au moins il sait comment dire merci en japonais.

— *Arigato!* dit-il. *Arigato!*

Il boit la moitié de la bouteille d'eau, puis en donne un peu à Nya et se force à garder le reste pour plus tard.

Il ferme les yeux et se rendort.

Il rêve de son père. Cette fois-ci, ils sont à Shogahama où ils se promènent dans la forêt et courent sur la plage. Toujours dans son rêve, Ben entend un homme qui l'appelle.

Mais ce n'est pas la voix de son père ni celle d'Ojisan.

Il ouvre les yeux.

Un homme est accroupi à son chevet.

— Bonjour mon garçon, dit-il. J'espérais bien que nous nous reverrions.

C'est le docteur Sato!

# CHAPITRE 12

Ben et le docteur Sato vont s'asseoir dans une salle de classe inoccupée. Le docteur donne une pomme et une tasse d'eau à Ben. Ce dernier dévore le fruit et boit l'eau d'un trait.

Il raconte au docteur ce qui lui est arrivé durant le tsunami et comment il a été séparé de sa mère, de Nico et d'Ojisan.

— Ils sont morts, dit Ben.

— Non, ils ne sont pas morts, dit le docteur en prenant la main de Ben. Les gens ont été éparpillés un peu partout. Sois patient. Ici, tu es en sécurité. Nous allons y rester et attendre.

Il y a une lueur très particulière dans le regard du docteur Sato. L'espace d'une seconde, cette lueur rappelle à Ben le regard de son père lorsqu'il l'observait depuis les gradins, en plein match de basketball. Que son équipe gagne ou perde, que Ben soit en grande forme ou qu'il ne fasse que des erreurs, le regard inoubliable de son père exprimait invariablement la confiance qu'il avait en son fils.

Le docteur Sato raconte à Ben ce qui lui est arrivé. Il venait de rentrer chez lui au moment du séisme. Sa maison est située plus haut dans les collines, au-dessus de l'école. Il était debout sous le porche devant sa maison quand le tsunami s'était produit.

— J'ai regardé les vagues détruire Shogahama, dit-il, l'air profondément triste. Comme il était inutile de me rendre à l'hôpital, je suis descendu à l'école où les gens avaient besoin d'aide.

*Des gens comme moi,* se dit Ben.

C'est le docteur Sato qui l'a soulevé quand il s'est

effondré dans l'entrée de l'école. Deux enseignants l'ont aidé à soigner ses blessures, à lui trouver des vêtements et à l'emmener dans le gymnase pour qu'il puisse se reposer.

— Je t'ai quitté à contrecœur, dit le docteur. Mais c'était la nuit et nous devions sortir pour aller à la recherche des survivants.

Le docteur détourne les yeux et Ben devine qu'ils n'ont pas pu en trouver un seul.

Deux femmes viennent alors parler au docteur Sato, interrompant la réflexion de Ben.

Elles sont toutes deux des *sensei,* c'est-à-dire des enseignantes de l'école.

Elles discutent avec le docteur et parmi tous les mots prononcés en japonais, Ben entend son nom. Finalement, les deux femmes lui sourient et repartent.

— Nous avons beaucoup à faire, dit le docteur Sato. Les secours n'arriveront peut-être pas avant plusieurs jours, car le village est coupé de tout. Nous devons donc trouver nous-mêmes le moyen de nous procurer de l'eau et de la nourriture. De plus, nous avons dix enfants sans leurs parents et nous devons nous en occuper.

Ben met quelques secondes à comprendre que ce « nous » l'inclut lui aussi.

— Les deux enseignantes que tu viens de rencontrer ont passé toute la nuit à l'école, poursuit le docteur. Maintenant, elles doivent aller s'occuper de leurs familles.

Ben approuve d'un signe de tête.

— Je leur ai donc dit que tu allais t'occuper des plus jeunes enfants pendant leur absence, ajoute-t-il.

Ben, incrédule, regarde le docteur.

Le docteur lui demande de s'occuper des petits?

Comment pourrait-il s'occuper de qui que ce soit alors qu'il est si inquiet au sujet de sa mère, de Nico et d'Ojisan?

Avant qu'il ait le temps d'ouvrir la bouche pour protester, une des enseignantes arrive avec trois garçons de cinq ou six ans.

Elle les présente à Ben : Kazu, Hidecki et Akira.

Les petits semblent effarouchés. Soudain, Nya

s'avance vers eux.

*Hiii! Hiii!* fait-elle.

Les enfants pouffent de rire.

Le docteur Sato leur dit quelques mots en japonais.

— Je leur ai dit que tu étais leur *sensei,* explique-t-il à Ben. Et qu'ils étaient sous ta responsabilité.

Il tapote le dos de Ben.

— Je vais sortir avec quelques autres pour voir si nous pouvons trouver des provisions, ajoute-t-il. Je serai de retour dans l'après-midi.

Il part en coup de vent avec l'enseignante.

Les garçons regardent Ben comme s'ils attendaient ses consignes. Ben ouvre la bouche pour dire quelque chose, mais se rappelle que les petits ne parlent que japonais. Il se demande quoi faire pour les occuper. Il n'y a pas d'électricité, donc pas de télévision ni de jeux vidéo.

Il regarde par la fenêtre et, dans la cour, il aperçoit un panier de basketball à côté de la glissoire.

Dans un coin du gymnase, il repère un filet rempli de ballons de basket.

Il emmène les garçons à l'extérieur. Ils grelottent de froid.

Ils se mettent vite à courir. Les muscles endoloris de Ben s'assouplissent. Le soleil brille de plus en plus et les garçons retirent leurs manteaux. Ils s'activent avec entrain. Le bruit des ballons qui rebondissent et les rires des enfants résonnent maintenant dans la cour.

Après le dîner, les petits décident d'aller grimper sur la cage à écureuil. Ben en profite pour s'entraîner aux lancers francs et aux tirs à trois points. Il se sent revigoré. Le basket lui manquait vraiment!

Au bout d'un moment, il se retrouve à l'extrémité du terrain. Il ne pourrait pas être plus loin du panier. Son père et lui faisaient souvent des compétitions pour voir lequel d'entre eux pouvait réussir le tir le plus long. Les petits descendent de la cage pour le regarder.

Ben fait rebondir le ballon une fois, deux fois, trois fois.

Il tire.

Le ballon vole vers le panier et, soudain, on entend :

— Ben! Ben!

Ben se retourne et aperçoit Nico qui court vers lui aussi vite qu'il le peut avec ses petites jambes. Nico pleure, mais ce sont des larmes de joie, car il sourit.

Ojisan et sa mère sont derrière lui.

*Swish!*

# CHAPITRE 13

25 MARS 2011

AÉROPORT INTERNATIONAL DE NARITA

TOKYO, JAPON

Ben est dans l'avion, assis entre sa mère et Nico. Ils vont bientôt décoller.

Deux semaines ont passé depuis le tsunami et ils retournent en Californie.

Pour la troisième fois, l'hôtesse de l'air vient demander à Mme Kudo de bien vouloir éteindre son téléphone. Elle parle au docteur Sato. Elle vient de passer les deux dernières semaines à travailler avec lui afin d'obtenir des provisions pour Shogahama. Ses amis de l'aviation militaire les ont aidés pour le transport.

Finalement, elle dit au revoir au docteur Sato et éteint son téléphone. Elle sourit à Ben, pose la tête sur le dossier de son siège et ferme les yeux.

Ils n'ont pas beaucoup dormi ces derniers temps.

Nico tient la cage de Nya sur ses genoux. Il lui gratte la tête une dernière fois avant de la placer sous son siège pour le décollage.

Ojisan leur a demandé d'emmener Nya avec eux et d'en prendre soin. Bien sûr, ils étaient ravis!

Ben regarde la cicatrice sur le bras de Nico.

— Ta cicatrice est encore plus cool que celle de Dark Vador, dit-il.

— Ça, c'est sûr! dit Nico avec un grand sourire.

Ben est vraiment étonné que Nico ait survécu au désastre sans aucune blessure. Et par miracle, sa mère, Nico et Ojisan ont réussi à rester ensemble après avoir été éjectés de la voiture. La vague les avait emportés jusque dans le garage du seul immeuble à appartements de Shogahama. Ils s'étaient précipités dans les escaliers juste avant d'être rejoints par la vague. Puis ils étaient montés sur le toit et, avec des dizaines d'autres rescapés, ils avaient attendu que l'eau se retire.

Comme tout le monde, Nico a vu des atrocités. Il en fait des cauchemars presque toutes les nuits et les bruits sourds le font sursauter.

Tout comme Ben, d'ailleurs.

Ben sait qu'ils ont de la chance d'être ensemble, sains et saufs.

Mais il a du mal à s'en réjouir alors qu'il y a tant de tristesse autour d'eux. Ce tremblement de terre est le pire de tous ceux qui ont touché le pays et le quatrième en intensité jamais enregistré sur Terre. Le tsunami a détruit des villes et des villages le long des côtes du Japon sur des centaines de kilomètres. Des milliers d'habitants sont morts et des milliers d'autres manquent encore à l'appel. À l'école, il y a eu des moments de bonheur, comme quand les parents d'Akira sont arrivés, puis ceux d'Hidecki. Mais bien d'autres victimes n'ont pu retrouver leur famille. Ainsi, une tante de Kazu est finalement venue le chercher pour l'emmener chez elle à Tokyo.

Et comme si ce n'était pas suffisant, une troisième catastrophe a frappé la région. Le séisme et le tsunami ont endommagé la centrale nucléaire de Fukushima, située sur la côte à environ 65 kilomètres de Shogahama. Des particules radioactives s'en sont échappées. Or une infime quantité de radiations peut rendre les gens très malades, en particulier les enfants. Les personnes qui habitaient près de la centrale ont dû abandonner leurs maisons et, pendant un certain temps, on a craint que le nuage radioactif ne s'étende jusqu'à Shogahama et même plus loin.

Ces derniers jours, les nouvelles de Fukushima sont meilleures. Les vents ont tourné et ont emporté le nuage toxique vers le large. Les conditions de vie à Shogahama se sont améliorées. Les routes qui desservent le village ont été nettoyées et la ville a pu recevoir des provisions d'eau et de nourriture. Bien sûr, Ben surveille Nico de près. Heureusement, ils ont leur chat Jedi pour les protéger!

Mais ils se font du souci pour Ojisan.

Il a perdu sa maison.

Il a perdu plusieurs amis aussi.

Ils l'ont supplié de les accompagner en Californie.

— Au moins pour les prochains mois, a dit leur mère.

Mais Ojisan a refusé et Ben a découvert pourquoi.

Il y a deux jours, ils sont enfin allés se promener tous les deux. Ils sont montés dans les collines derrière l'école et ils ont regardé le village. Ojisan avait les larmes aux yeux en contemplant à leurs pieds le désert de boue et de débris. Puis il a parlé, et Ben a entendu toute sa détermination dans sa voix.

— Nous allons tout nettoyer, a dit Ojisan. Nous allons construire de nouvelles maisons.

On parlait déjà de reconstruire plus en hauteur.

Puis Ojisan s'est tourné vers Ben.

— Nous allons reconstruire Shogahama,

a-t-il dit. Nous allons nous serrer les coudes et continuerons d'aller de l'avant.

*Nous continuerons d'aller de l'avant!*

Ojisan a promis de venir les voir l'été prochain. Le docteur Sato sera aussi du voyage, car il doit assister à un congrès de médecine en Californie et il a prévu de rester une semaine de plus pour leur rendre visite.

L'avion s'éloigne de la rampe d'embarquement et avance sur la piste. Ben adorait voyager en avion avec son père qui lui expliquait les caractéristiques de l'appareil et à quoi correspondait chaque bruit qui se produisait. Il a l'impression d'entendre la voix de son père, comme s'il était assis à côté de lui.

Une idée complètement folle lui vient à l'esprit : le vœu de Nico s'est réalisé!

Finalement, le cerisier d'Ojisan est peut-être vraiment magique, car Ben a l'impression que son père est vraiment revenu.

Son père l'a guidé pendant ses moments de panique durant le tremblement de terre et l'a aidé à s'échapper de la voiture qui coulait. C'était sa sagesse qui lui parlait intérieurement durant les moments de détresse et de solitude.

Son père est revenu dans sa tête et dans son cœur.

Et il y restera pour toujours.

L'avion fonce tout droit en accélérant.

Nico et sa mère prennent tous les deux une main de Ben.

Ben presse leurs mains.

Ainsi réunis, ils s'envolent. Ils seront bientôt de retour à la maison!

# UNE TRIPLE CATASTROPHE

Le japonais est une langue difficile à apprendre et bien des mots n'ont pas d'équivalent direct en français. C'est le cas du mot *gaman* qui signifie « patience et force de caractère face aux difficultés ».

Les Japonais sont fiers de leur esprit *gaman* qui leur a permis de reconstruire leur pays après le séisme et les incendies qui ont détruit Tokyo en 1923 ou après la Deuxième Guerre mondiale qui a dévasté leur territoire dans les années 1940. C'est ce même esprit de force et de détermination qui a permis à des millions de Japonais de se relever des terribles événements du 11 mars 2011.

Ce jour-là, dans la région du Tohoku, au nord-est du Japon, une série de trois catastrophes s'est produite : d'abord un tremblement de terre, puis un tsunami et, finalement, un accident nucléaire. Chacun de ces trois événements aurait pu à lui seul faire l'objet d'un volume de la collection *Survivants*.

Tout a commencé par un puissant séisme qui s'est produit à 14 h 46 sous le plancher océanique du Pacifique, à environ 130 kilomètres au large de la côte nord-est du Japon. La plupart des tremblements de terre ne durent que quelques secondes. Par exemple, à San Francisco, en 1906, le sol n'avait tremblé que pendant trente secondes. Or, celui du Tohoku a été ressenti pendant plus de cinq minutes, à certains endroits.

Cinq minutes!

Pour te faire une idée de ce que cela représente, tu peux faire ce que j'ai fait un matin. Règle une minuterie et reste assis durant cinq minutes sans bouger. Pendant tout ce temps, essaie d'imaginer que toute la maison tremble, que tu n'entends plus qu'un gigantesque grondement et que tu es totalement terrorisé.

Les gens ont dû se sentir incroyablement soulagés quand la secousse a enfin cessé. Pourtant, le pire restait encore à venir : un énorme tsunami déclenché par le séisme.

Les populations qui vivent sur les côtes japonaises savent que les tremblements de terre sont souvent suivis d'un tsunami ou raz-de-marée, c'est-à-dire une série de puissantes vagues océaniques. Quand on se promène dans les collines de la côte japonaise, on peut trouver ici et là des bornes de pierre marquant les endroits qu'ont atteints d'anciens tsunamis. Elles ont été posées par des survivants qui voulaient prévenir les générations futures du risque de vivre trop près de l'océan, dans une région où les tsunamis sont fréquents. On peut y lire des messages gravés dans la pierre comme : « Ne pas construire plus bas » ou « Un tsunami s'est rendu jusqu'ici. » Certaines de ces bornes ont été posées il y a plus de 500 ans.

Malheureusement, ces avertissements ont rarement été respectés. Les côtes du Japon, tout comme celles de l'Amérique du Nord, sont densément peuplées et abritent une multitude de maisons, de commerces et d'usines. La plupart des Japonais, tout comme les Nord-Américains, croient que les sciences et la technologie d'aujourd'hui peuvent les protéger contre les forces de la nature. Effectivement, le Japon a le meilleur système d'alerte aux tsunamis au monde et, dans de nombreuses régions côtières, des murailles ont été érigées au large pour s'en protéger. Le 11 mars 2011, l'alerte a été donnée en quelques minutes sur toute la côte. Les sirènes hurlaient, les téléphones cellulaires sonnaient partout et les chaînes de télévision avertissaient les gens et leur conseillaient de se réfugier dans les hauteurs.

Mais ce jour-là, les murailles de béton et les alertes n'ont pas suffi. Par endroits, les vagues ont atteint plus de 30 mètres de hauteur. Les murailles se sont écroulées comme des châteaux de sable, les bateaux se sont retrouvés sur les toits des bâtiments et bien des gens qui s'étaient réfugiés dans les hauteurs ont été rejoints par l'eau. Des villages situés à plus de 8 kilomètres de la côte, qu'on croyait absolument hors de portée des tsunamis, ont été rasés.

La catastrophe du 11 mars 2011 a fait des milliers de morts et de blessés, sans compter les milliers de victimes qui n'ont jamais été retrouvées. Des centaines de milliers de maisons ont été endommagées ou complètement rasées. Des villes et des villages entiers ont même été rayés de la carte!

Quand les eaux se sont finalement retirées, un troisième drame se tramait à la centrale nucléaire de Fukushima Daiichi. Le séisme et le tsunami avaient endommagé les installations. Des fumées toxiques et de la vapeur d'eau se sont mises à s'échapper. Or ces nuages contenaient de fines particules radioactives très dangereuses pour les animaux et les humains. En respirer une très petite quantité pouvait rendre extrêmement malade.

Deux mille personnes qui avaient réussi à survivre à la violence du séisme et du tsunami devaient maintenant fuir le nuage toxique qui se répandait à des kilomètres à la ronde. Deux ans plus tard, la plupart de ces victimes n'étaient pas encore retournées chez elles. Certaines agglomérations ont été si fortement contaminées par les radiations qu'elles ont été abandonnées et sont devenues des villes fantômes avec des rues bordées de maisons, de commerces et d'écoles vides. Il faudra des décennies avant que ces lieux redeviennent assez sécuritaires pour être habités de nouveau.

Chaque volume de la collection *Survivants* demande des mois et des mois de travail de recherche et d'écriture. En général, quand je termine un projet, je peux imaginer de façon assez précise ce qu'ont vécu les gens à propos desquels j'ai écrit. Ainsi, je pouvais ressentir la terreur de voir un requin nager vers moi dans un ruisseau ou la panique au pied des tours du World Trade Center lors des attentats du 11 septembre 2001.

Mais la catastrophe du Tohoku était si énorme

que, encore aujourd'hui, je n'arrive pas à imaginer la terreur, l'anéantissement, l'épuisement et le désespoir que les victimes ont pu ressentir.

Ce que j'éprouve, au plus profond de mon cœur, c'est une immense admiration pour les millions d'habitants de cette région et de tout l'est du Japon qui ont su reconstruire leurs villes et leurs villages ainsi que leurs vies et qui continuent à aller de l'avant, guidés par leur esprit *gaman*.

# À PROPOS DU SÉISME DU TOHOKU ET DU TSUNAMI DE 2011

## Le séisme

D'une magnitude supérieure à 9,03, ce tremblement de terre est le plus fort de toute l'histoire du Japon et le quatrième parmi les plus violents séismes jamais enregistrés sur Terre. La secousse s'est produite à 130 kilomètres au large des côtes du nord-est du Japon, sous le plancher de l'océan Pacifique. Pendant plusieurs jours, la région a encore été secouée par de fortes répliques qui n'ont fait qu'ajouter aux dégâts matériels et à la terreur des populations.

## Le tsunami

Le mot japonais tsunami signifie « vague portuaire ». En réalité, un tsunami n'est pas constitué d'une vague unique, mais d'une série de vagues successives dont la première n'est souvent pas la plus grosse. La plupart des tsunamis sont causés par un tremblement de terre se produisant sous le plancher océanique. Ils peuvent aussi être provoqués par un glissement de terrain, une éruption volcanique ou la chute d'une météorite. Les vagues des tsunamis sont différentes des vagues ordinaires qui sont causées par l'action des vents sur la surface de l'eau.

Le tsunami du Tohoku s'étirait sur des centaines de kilomètres et a détruit des villages, des villes et de grandes cités sur plus de 500 km le long de la côte nord-est du Japon. C'est un des plus forts jamais enregistré. En certains endroits de la côte japonaise, les vagues s'élevaient à plus de 30 mètres et l'eau s'est répandue jusqu'à 8 km à l'intérieur des terres.

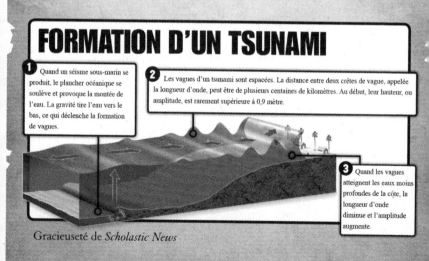

# FORMATION D'UN TSUNAMI

**1** Quand un séisme sous-marin se produit, le plancher océanique se soulève et provoque la montée de l'eau. La gravité tire l'eau vers le bas, ce qui déclenche la formation de vagues.

**2** Les vagues d'un tsunami sont espacées. La distance entre deux crêtes de vague, appelée la longueur d'onde, peut être de plusieurs centaines de kilomètres. Au début, leur hauteur, ou amplitude, est rarement supérieure à 0,9 mètre.

**3** Quand les vagues atteignent les eaux moins profondes de la côte, la longueur d'onde diminue et l'amplitude augmente.

Gracieuseté de *Scholastic News*

## L'accident de la centrale nucléaire de Fukushima

Afin de t'aider à comprendre ce qui s'est passé à la centrale de Fukushima Daiichi et pourquoi la situation était si grave, je dois d'abord t'expliquer d'où vient notre électricité.

L'électricité que tu utilises à la maison ou à l'école pour t'éclairer ou faire fonctionner des appareils comme l'ordinateur ou la télévision est produite par de grandes centrales électriques. Aux États-Unis, on en compte environ 6 600 qui produisent l'électricité de différentes façons.

Aux États-Unis et ailleurs dans le monde, l'électricité est généralement obtenue à partir de l'énergie thermique produite par la combustion du charbon. Mais on en produit aussi à partir de la combustion du gaz naturel, de l'accumulation de la chaleur du soleil (énergie solaire) ou en utilisant l'énergie motrice de l'eau (hydroélectricité) ou du vent (énergie éolienne). Mais des milliers d'autres centrales, dont celle de Fukushima Daiichi, utilisent l'énergie nucléaire.

Mon amie Sally, qui est une scientifique, serait bien

prête à s'asseoir avec toi et à t'expliquer en détail en quoi consiste l'énergie nucléaire. Mais il lui faudrait sûrement quelques heures. Alors, voici ma version, qui te donne l'essentiel de ce qu'il faut savoir. Dans une centrale nucléaire, on utilise une réaction chimique pour produire une chaleur intense avec laquelle on fait bouillir de l'eau. La vapeur qui s'en dégage est ensuite utilisée pour produire de l'électricité.

Les centrales nucléaires fonctionnent généralement sans problème. L'électricité qu'elles produisent est même une énergie « propre », c'est-à-dire non polluante pour l'atmosphère. Mais quand une centrale nucléaire subit des dommages, la situation peut mal tourner très rapidement.

C'est ce qui est arrivé à Fukushima. Le séisme et le tsunami ont endommagé la centrale. L'électricité a été coupée et des incendies se sont déclarés. De la vapeur d'eau, de la fumée et de l'eau s'en sont échappées. Les nuages et l'eau ont emporté avec eux de fines particules radioactives très dangereuses pour les humains. Or, on ne peut pas se débarrasser de ces particules et elles restent dangereuses pendant des décennies et même des siècles.

## Les chiffres de la catastrophe du Tohoku

- Près de 16 000 morts
- Plus de 6 100 blessés
- 2 668 portés disparus
- Près de 130 000 bâtiments détruits (et un million d'autres sérieusement endommagés)